超譯赫塞

序

極度反威權主義者赫塞

赫曼．赫塞以詩人之名廣為世人熟知，在日本更是以謳歌瑞士的自然美景，純樸抒情的田園之詩聞名的文壇巨擘，我想之所以會有這樣的印象，恐怕是那些只看過赫塞幾篇詩作與水彩畫的人妄加斷論，大肆吹噓的結果吧。

除了上述理由之外，赫塞晚年的肖像予人年邁老者的印象，以及赫塞的小說《車輪下》部分內容選入教科書等，亦是原因。再者，日本人閱讀的多是赫塞初期創作的小說，不少人以為他是個專擅描寫苦澀青春的小說家。

然而，現實中的赫塞既不純樸抒情，也不耽美，個性亦非穩健。雖然他是著名的詩人，也曾遁世隱居，但絕對不是甘於安穩之人。只要閱讀他的後期作品，諸如《徬徨少年時》、《荒野之狼》、《玻璃珠遊戲》等，便能明白他是個反威權主義者，有著絕不妥協的激進精神，貫徹自我意志而活的人。

一八七七年，赫塞出生於德國南部的小鎮卡爾夫。此時正值英國的維多利亞黃金時代，亦是俄國文豪托爾斯泰完成鉅作《安娜卡列尼娜》的時候。罹患血癌的赫塞於一九六二年，以八十五歲高齡病逝於瑞士南部的蒙塔諾拉，這一年也是美國與蘇聯因為古巴危機，兩國關係處於劍拔弩張的冷戰時期。

在赫塞的母親瑪莉的信中，曾提到赫塞的孩提時代。

「赫曼看起來是個對所有事物都感興趣的小孩，他喜歡觀察月亮和雲，不時來一段風琴的即興演奏，或是用鉛筆、原子筆繪出令人驚豔的畫，而且興致一來，還會高歌一曲，作詩的才華更是不容小覷。」

（摘自《赫塞》井手賁夫／翻譯）

這絕非為人父母的自誇，赫曼・赫塞的確才華洋溢，日後在文壇上大放異彩。

少年時代的赫塞是個敏感又纖細的小孩，看在師長眼裡，也是個令人棘手的問題學生，更何況十九世紀末的學校老師極度崇尚威權主義，無理的要求、箝制與體罰成了家常便飯之事。

本書也有收錄一部分相關內容，當時的教師非常厭惡那種恃才傲物，難以規範管束的學生，這是為人師表缺乏洞察力、器量狹小，一派小鼻子、小眼睛作風的緣故。

赫塞十二歲時便知道自己「只想成為詩人」，卻也明白只靠寫詩無法溫飽度日。他選擇報考不用花錢便能學習求知的神學院，為此進入拉丁語學校學習，順利考上毛爾隆的基督教神學院。

「我的虔誠信仰只到十三歲為止，十四歲的我開始對於信仰存疑，不久我的思想與想像便完全世俗化。當然，我依然敬愛父母，但對於啟蒙自雙親的虔誠信仰之心，卻覺得流於表面、空泛與卑屈，漸生厭惡，所以青春時期的我開始頻頻激烈反抗。」（摘自赫塞《回憶錄》／日本赫曼・赫塞之友會・研究會編譯）。

《車輪下》就是描寫他就讀毛布隆神學院時的事，赫塞逃離這處隱修院，在只有八度的寒冬夜裡露宿野地，雖然成功脫離扼殺人格的學校生活，但這時的他愛上比自己年長七歲的女性，又初嚐失戀之苦，於是深受打擊、自殺未遂的他被送進精神療養院。

於一九一五年發行的赫塞詩集《孤獨者之歌》中，收錄以下這首他深刻描寫自身遭逢失戀痛苦的詩。

「美麗的人」（高橋健二／翻譯）

你收到一件玩具，
看著它、擁著它、最終卻以毀壞收場。
猶如明天便忘了是誰給了這玩具的孩子般，
你將我獻給你的心，
像漂亮的玩具般在小小的手中玩賞著，
卻未曾在意我的心是如此煩惱糾結。

翌年他進入肯席達特高級中學就讀，卻因為結交素行不良的同儕，染上酒癮與惡習，不到一年便退學。高中輟學的赫塞進入書店工作，開始大量涉獵以歌德為首，眾多國內外名著古籍。十七歲的他在機械工廠只待了一年便辭退，成了書店的實習店員，約莫二十歲時，赫塞開始醉心於尼采的文學世界。

也是從這時開始他的寫作生涯，二十二歲那年出版了第一本詩集。喜歡獨自旅行的赫塞過著邊工作，邊寫詩的日子，二十六歲時出版長篇小說處女作《鄉愁》，這部小說出版的前一年，日本文豪夏目漱石寫了《我是貓》這本小說。暢銷小說《徬徨少年時》則是赫塞四十歲時的作品，五十歲時出版文風多彩奔放的《荒野之狼》，六十六歲時推出風格創新的最後一部長篇小說《玻璃珠遊戲》，六十九歲這一年獲頒諾貝爾文學獎。

赫曼·赫塞的作家生涯絕對稱不上一帆風順，他遭逢許多苦難，卻不因此氣餒，終身為追求自我而戰。

一九一四年第一次世界大戰爆發後，赫塞接下以遭德軍俘虜的民眾為對象，發行的慰問報紙與圖書等，這份相當繁雜的工作。在當時崇尚極端愛國主義的大環境下，發表許多反對世間輿論的赫塞被德國新聞媒體扣上賣國賊的罪名，飽受批判。

對於靠版稅與稿費維持一家生計的赫塞而言，這樣的指控嚴重威脅到生活，不巧此時么兒病重，妻子的精神狀況又惡化，心力交瘁的赫塞再度接受精神方面的治療，他在《回憶錄》中寫道。

「這一年來，我做了向生活、世間輿論、祖國、家庭生活訣別的準備，就在戰爭即將結束之際，妻子的精神疾病嚴重影響到我們的婚姻生活，只能走向離婚一途。」

雖然赫塞的心理治療相當成功，促使他在短時間內完成《徬徨少年時》這部作品，卻被迫只能以匿名發表。他在《回憶錄》中寫道：

「成功塑造純樸抒情形象的文學家，卻成了充滿爭議的局外人。」

赫塞四十六歲時成為瑞士公民，翌年與年紀足足小他兩輪的年輕女性結婚，可惜兩人的婚姻生活並不順遂，三年後以離婚收場，赫塞五十四歲時結了第三次婚。

這時德國興起納粹主義，一九三四年希特勒擔任德國首相兼總理。赫塞六十二歲這一年，納粹政權打壓其作品，停止供給出版所需的紙張配給，因此他的作品是在瑞士發行，而非德國。

只要閱讀當時赫塞寫的信件與日記，便能瞭解他過著多麼儉樸的生活。縱使如此，他依舊堅持自己的理念，不願媚俗。

讓赫塞的心靈如此強大的力量是由吠陀經、佛陀、耶穌基督、歌德、叔本華、尼采等醞釀而成的赫塞思想與信念。

小說《徬徨少年時》的這段文字表現出赫塞有多麼醉心於尼采的文學

世界。

「桌上放著數卷尼采的作品，我和尼采一起生活，感受他那孤獨的靈魂，挖掘他那無止境的顛沛命運，同他一起煩惱。然後，欣喜地想著早已有人如此堅持走著屬於自己的路。」

此外，崇尚尼采的赫塞還發表名為〈查拉圖斯特拉再來時〉，勉勵年輕世代的評論文章。

用如此短的篇幅說明在赫塞心中醞釀而成的思想，實在是一件很困難的事，所以只能言簡意賅地整理如下。

人只能接受命運，但所謂的命運是由自己的個性、才華與生存方式形塑而成。就某種意思來說，無論是誰都只能為自己而活，這才是最重要的事，也是來此世間的意義。

當然也能不向命運低頭地活著，縱使是一種含糊、明哲保身，陷入無法理解善、聖狀態的生存方式，但不少人都是這麼活著。藝術作品也是如此，只能以價格與名聲判斷其價值。

我們從這樣的思想不難理解，為何赫曼·赫塞是一位至今依然不斷啟發我們的文壇巨擘。

超譯赫塞　目錄

目錄

I 從自己開始整理……

II

不安也是一種行動的催化劑

III

變強的生存之道

IV

人生無法計量，何必錙銖必較

V 跟隨「被愛支配的心」前進吧！

VI 別讓長大帶走你的笑容！

VII 不受時間支配的幸福

I

從自己開始整理……

001

走自己的路

你究竟要走到哪裡？那裡不是別人的路嗎？無怪乎你會走得這麼艱苦。

唯有走出屬於自己的路，才能走得更遠。

《徬徨少年時》

002

用自己的標準看待自己做的事就行了

既然是自己的人生，何必非要博得別人的認同。
無須對照世間的基準，給自己打分數。
只要用自己的標準看待自己做的事就行了。唯有堅持這原則，才能活得像自己。

書簡 1949

003

現在的你才最真實

你是否揣揣不安？

不安就是無法認同現在的自己，一個再明顯不過的證據。

要是永保真實的自己，便不會萌生不安的情緒，所以要讓真實的自己與現在的自己達到一致性。

《徬徨少年時》

004

不要妄想成為別人

我明瞭你十分憧憬某個人的心情，一心想蛻變成不一樣的自己，很多人也是如此。而且實際這麼做之後，卻經歷種種失敗與挫折的人也不只有你。

但是請你仔細想想，想成為某個人意味著否定現在的自己，才會那麼苦惱，不是嗎？

你要做的是，追求適合自己的東西，正視自己真正的想望，用你的身心努力實現這股想望，才能瞭解真實的自己，走出屬於自己的路。

書簡1949

005

變得真一點

要想保有個人特色，忠於自我，有三件事絕對不能沾染。

第一是世間的陳規陋習。一旦沾染，無論你身在何處，無論你是生是死，都與眾人無異。

第二是小鼻子，小眼睛的作風。極力主張權利與義務，心想著只要不觸法，很多行為都可以合理化，只有在侵犯自己的權益時，才想到訴諸公平正義，淪為狡詐的傢伙。

第三則是心靈的公敵：怠惰。

書簡1923

006

做最好、最強的自己

要想做最真實的自己，有三件事一定要實踐。第一是絕對認同自己最好、最強的部分，不要否定，也不必妥協。

不逃避任何事情，也無須杞人憂天。

只要反覆實踐這幾點，成為一種習性，你就能輕鬆做最真實的自己。

書簡1953

007

真正的覺醒是找到自己的特質

自我覺醒很重要。

雖說如此，這裡的自我並非一般說的利己，而是找到自己的特質，才是真正的自我覺醒。

無奈將我們變成隨處可見，沒有個性的人，暗自阻礙我們成長的頭號敵人，卻以笑容可掬的面貌潛藏在我們的身邊，那就是——傳統與習慣，怠惰以及投機取巧的習性。

書簡1923

008

沒必要追隨任何人

若有年輕人認真問我：「我該如何活著？」我會這麼回答。

不要仰別人的鼻息而活，別聽信政客的說詞。

別受那種炫耀自己的頭銜，目中無人的傢伙影響，也不必理會那種告訴你要以當個成功人士、富豪為人生目標的傢伙，別參加那種高舉正義旗幟的組織團體，也別相信勸說世人該怎麼做，才能得到救贖的宗教，更別當個被金錢奴隸的笨蛋。

不必追隨任何人，只需聽從自己內心的聲音，清楚這聲音說些什麼，朝著屬於自己的路前行。

要是聽不到內心的聲音，表示你走的不是屬於自己的路。

〈查拉圖斯特拉再來時〉

009

不要拒絕與生俱來的命運

愛自己，不是放任自己。

而是愛最真實、原本的自己，當然也要愛自己的命運。

因為命運是與生俱來，沒有理由不愛。

縱使現在有你不明白的事情，或是怎麼也無法理解的事情，也不要拒絕、迴避、厭惡，而是告訴自己，面帶微笑的歡喜接受。

〈愛之路〉1918

010

改掉暴躁性急的脾氣

我瞭解你想改變世界的心情，也明白你熱切企盼有所改革，但縱然你有改變世界的強烈意志，以示威遊行、集體抗爭等手段發聲，這條路的前方卻只有無盡的暴力與戰爭。

要想改變世界，必須先改變自己。

改掉暴躁性急的脾氣，別再以自己的利弊衡量所有事情，更不要淪為被別人利用的棋子，必須徹底改變你那浮躁的個性。

像這樣改變自我，就是和平改變世界的一種方法。

書簡1934

011

你沒有理由逃避命運

當你的內心與性情達到一致時，你沒有理由逃避命運。

《徬徨少年時》

012

任誰都只能獨自橫渡內心的荒野

請凝視你內心這一片無垠的荒野。

這裡棲宿著想挑起戰爭、殺戮的欲望，潛藏著無比膚淺輕佻、野獸般的粗暴猖狂、耽溺享樂的無窮欲望，以及卑鄙與怯弱……

任誰都只能獨自橫渡這一片荒野，而且非得橫渡不可。

〈略歷〉

013

讓人忘我的蟬鳴

夜深依舊未停歇的蟬鳴是夏天的聲音。
這聲音彷彿海潮聲，令人渾然忘我。

〈大理石材工廠〉

014

別太嚴苛了

我們不該苛待別人，卻應該苛待自己。

書簡1919

015

愛你的頭號敵人

你的頭號敵人是誰？雖然這敵人淨是和你唱反調，但他的勇敢、膽識、行為卻和你如此相像。

愛你的頭號敵人，並給予他極高的評價。

書簡1932

016

今天的自己要比昨天更好

我們手裡握著的希望是什麼？就是無論今天如何，自己都能有所改變，而且變得比昨天更好。

若是每個人都能做到這件事，世界會更美好。

書簡1950

沒有良心的價值觀與理想，什麼都不是。

017

無論如何都要守住你的良心

衷心勸你千萬別拿團體或組織的價值觀與理想，交換自己的良心。無論面對的是頭銜名聲有多麼響亮的人物，以煽動的言詞蠱惑眾人，發表動人的演說。

一旦用這東西交換你的良心，便能輕易打開通往集體主義的道路，而前方等待你的是血流成河的戰爭。

書簡1951

018

做一些只有你才辦得到的事

為何你渴望沉醉於某件事？為何你今晚又為了探求興奮而行動？
理由很明確，因為你想忠於自我，渴求這種快感。
但光是熱衷於美酒、音樂、舞蹈，並無法嘗到這種快感，為什麼呢？因為這些東西只是讓你暫時沉醉其中。
這不是你渴求的快感，你應該做些只有自己才辦得到，才說得明白的事。
只要做到這一點，你永遠都能忠於自我。

《克萊因與華格納》

019

不必在意外在的雜音

若你想充分發揮自己的特色與才能，必須聽從內心發出的細微聲音。

無論是父母的意見，還是老師的教導，不必在意外在的雜音。

就像鴕鳥不會模仿蝙蝠飛翔，沒必要總是想著與別人較勁。

當然，身邊的人看到你執意走著屬於自己的路，多少會因為嫉妒而出言干預，你大可不必理會，因為你們活在不同的世界。

《徬徨少年時》

020

你只能獨自走自己的路

你必須重視自己的直覺與情感，相信自己的理性，當然也要珍惜友情，培養賞藝術的眼光，也別忘了自己懷抱的理想。

千萬別被世間的價值觀迷惑，也不要因為想法有別於多數人而深感不安，你只能獨自走在屬於自己的路。

儘管世間總是風風雨雨，世人就像風向雞一樣不停變換方向，你無須理會，只要以你的審美觀、價值觀，及心中的愛，開拓屬於自己的世界。

書簡1959

021

自由還原你真正的模樣

大多數人每天疲於奔命，卻多是為了別人的命令與義務而忙，不是為自己，成了一副行動道具。

當人們從日常瑣事與社會的義務、束縛中，完全解放的一刻，才能真正為自由歌舞。

這一刻盡顯原貌，還原最真實的自己，不再是個道具。

《克萊因與華格納》

022

外在價值跟你的內在力量相比，微不足道

你的體內潛藏著一股神祕力量，那是命令你活在世上，真切感受自我成長的力量。能夠感受到這股力量的人，絕對不會被世間蔓延的價值觀——也就是金錢與權力至上的價值觀迷惑，因為這些東西和你體內的力量相比，只是微不足道的存在。

〈任性〉

023

獨特的生存力量來自於你自身

若是不凡的人生、獨特的生存之道源自你的內心，表示你已經找到屬於自己的路，也意味著你具有這股力量。

然而，這股力量有別於你的體力與意志力。

這是一股從內心深處湧現的神祕力量。

書簡 1930

024

允許內心擁有一處避風港

請在你的內心深處準備一處誰也無法踏入，猶如山中小屋般靜謐的場所。

當你遭遇困難，面臨不得不做出抉擇，或是必須確認自己走的方向是否正確時，請回到這裡和你的內心暢談。

這裡是專屬於你的祕密避風港，也是讓你蛻變、重生的重要場所。

《流浪者之歌》

025

不要隨著世間，改變自己

請期許自己像是屹立不搖的大樹，或是昂然聳立的山。
抑或是一頭孤傲的野獸。
高掛夜空的耀眼星辰。
無論世間如何轉變，都要永保最真實的自己。

《克萊因與華格納》

026

要一直愛戀這個世界

我和你一樣，曾經遭受多次斧頭的摧殘，因為世人的責難而煩惱不已。

橡樹啊！我和你一樣不願放棄，縱使痛苦煎熬，也期待新芽初綻，只因我依舊愛戀這世界。

詩〈被砍伐的橡樹〉

027

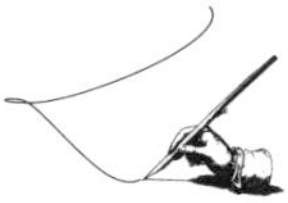

只有你才能拯救你自己

為何凡事只想求助他人？為何要將自己的將來交由別人決定？只有你能拯救自己，不是嗎？

只有你能療癒自己，幫助自己，只有你具有掙脫困境的力量，只有你能撼動自己的靈魂。

所以你根本沒時間和那種渾噩度日的人為伍。

〈關於靈魂〉

028

一旦學會愛自己，就懂得愛別人

你不能放逐自我，也不能做些侮蔑自己的行為。

不僅如此，還要好好的愛自己，只要懂得愛自己，身心便能達到最協調的狀態。

當你的靈魂變得純粹，便懂得去愛別人，因為此刻的你沉浸在幸福裡。

〈摘自馬丁的日記〉

放逐自我的行為無濟於事。

029

習慣孤獨

習慣孤獨並非壞事。

請你遠離塵囂，學會獨處；遠離笑聲、喧鬧、甜美的誘惑，也請遠離父母的呵護，學習做自己。

也許現在的你不明白這道理，但我還是要說，孤獨不該和寂寞劃上等號。

怎麼說呢？因為當你體驗到真正的孤獨時，才能看到命運最璀璨的一面。

也就是說，只有你自己能發現這一面，也只有這一刻，你才真正瞭解自己，才能蛻變得更成熟。

〈關於孤獨〉

030

貢獻於世的利己主義

利己主義有兩種。

一種是只求自我利益的心態與行為，許多人會隱藏這種利己主義，然後不時小露一下，以求生存。

另一種利己主義是培育自己的才能與力量，達到無人能夠撼動的程度，再充分發揮這股能力，貢獻於世。

雖然這條利己主義之路十分凶險，還是有年輕人願意奮力攀登。

書簡1922

031

肯定最真實的自己

請你學會正面看待事物，相信一切很美好。

這時，最重要的是肯定自我，哪怕你沒自信，懷疑自己哪裡不好，只要肯定最真實的自己就行了。

若是無法學會這一點，即便見賢思齊也只是三分鐘熱度，讓自己更不安。

你只能朝著自己開拓的路前行，哪怕伴隨的是辛苦、熱情與孤獨，也只能勇敢前行，因為這是你的生存之道。

書簡1932

II

不安也是一種行動的催化劑

032

認同你的煩惱與悲傷

你很煩惱，是吧？總是覺得苦多於樂，內心不時隱隱作痛，是吧？縱使如此，還是要保有一顆喜悅的心。然而，喜悅不是誰突然為你帶來什麼開心的事。

喜悅是不否定現在的自己，坦然面對現在的自己，即便再怎麼煩惱、悲傷，只要認同這一切，喜悅自然湧現。

書簡1922

033

內心的平靜，來自於每天的征戰

若你以為生活和工作從此安穩無虞的話，那就大錯特錯了。

內心的平靜亦然，不可能永遠心境安穩，平靜無波，因為要想追求內心的平靜，必須經歷許多奮戰。

而且這場戰事持續進行。

《知識與愛情》

034

強大的心志可以打造

我明白你內心那難以言喻，只想逃避一切的痛苦。然而，一旦選擇逃避一切，就等於失去一切。

其實有個解決的方法，那就是將內心這顆遇到痛苦便想躲開，脆弱無比的心，打造成勇敢面對痛苦的心。

《生命之歌》

035

煩惱存在著生命價值

不只你有煩惱，任誰都有煩惱，你思索著無論如何都想痛快解決惱人的問題，是吧？

你是否厭惡自己為這問題煩惱不已？還是心想在這非常時期，竟然還為這問題煩惱，一點都不像自己的作風？

但不可否認，這苦惱是為了讓你經歷而存在，也是一段人生歷程，賦予人生崇高的價值與光輝。所以千萬別逃避，一旦逃避，這苦惱就成了毫無價值的東西，你的人生只會變得更空虛。

書簡 1924

036

現實，就和你的內心一模一樣

現在你見到的東西，面對的現實，都和你心裡的東西一模一樣。
換言之，內心沒有的，現實根本不存在。

《徬徨少年時》

037

釋放內心，就能觸碰世界

你認為自己的想法，與外界的事物截然不同。

其實不然，你之所以認為外界與自己所想的不一樣，是因為你一直將自己封閉在內心世界。

唯有解放封閉在內心世界的自己，才能讓內心世界與現實世界趨於一致。

《徬徨少年時》

我們幻想自己隔開了世界，其實世界一直都在那裡。

038

你的不安，來自對自己的價值判斷

許多人認為善惡、價值這玩意兒是實際存在的東西。對這些人而言，欲望、逃避與現實也是實際存在的東西。

他們卻未曾察覺這些東西只存在於自己心中，出於自己的妄想，以致於終日惶惶不安。

《克萊因與華格納》

039

執著所以才悲傷

你之所以悲傷，是因為執著於過往的損失，不是嗎？

書簡1916

040

悲傷使人成長

心中懷著一抹憂傷的年輕人啊！

請念詩，請讀格言，請聆賞優美的音樂，請遠眺遺忘的美景，請回想過往美好的瞬間。

當時間變得明朗，想法變得積極，便能欣喜面對未來，也意味著你將蛻變。

〈內心之富〉

041

別沉浸在切身的痛

這世上最難以承受的痛，莫過於切身的痛，往往只是因為自己的些微熱誠或是與眾不同，深感被世間排拒而鬱悶不已。

你之所以覺得降臨在自己身上的災厄、疾病與意外事故是世上最殘酷的事，是因為凡事以自我為中心的價值觀，輕蔑別人蒙受的災厄。

《荒野之狼》

殘酷的事不會只發生在我們身上而已。

042

不安也是一種行動的催化劑

人們會感到不安。
因為不安而工作、憂慮、想要去愛誰。
所以不安也是一種行動的催化劑。

《克林索的最後夏日》

043

音樂、書寫和遠行都能一掃陰鬱

有一種藥，能讓鬱悶的心情變得開朗。
那就是歌唱，認同神的存在，認同冥冥之中有一種崇高的存在。你可以小酌一番，聆聽音樂，書寫歡愉的詩。
或是出發至遠方。

〈陰天〉

044

說太多只是一味的宣洩情感而已

你從剛才就滔滔不絕的說著。
你認為自己是在陳述意見、提出解決方案或是一種概念。
其實啊！你只是一味宣洩自己的情緒，使用各種言語宣洩當下的心情。

《知識與愛情》

045

過分的執著，會錯過真正想要的東西

你愈是猛烈追求，愈找不著真正想要的東西，縱使命運讓你們邂逅，你也會以為不是想要的東西，而輕言放棄。

三兩下便能找到的人，絕對不是欲求猖狂之人，而是面露溫和笑容，無論對誰、對任何事物都能真誠以待的人。

當你不再奉「非做不可」為信念時，就不會對任何事物過分執著。

《流浪者之歌》

046

唯有信念能助你心想事成

既然是自己一心祈願的事，就不能因為一點波折而動搖不安。

既然想要實現，就要抱持堅定信念，而且是任誰都無法撼動的信念。

唯有如此，才能心想事成。

《徬徨少年時》

047

性格常常是封閉自我的牢籠

什麼能決定一個人的命運？性格？人格？個性還是自我風格？也許是其中一種，也許都是。其中的性格，有時會成為束縛的枷鎖，限制你的牢籠。

《荒野之狼》

048

用雙眼找到的答案才最適合你

是啊！我明白，我非常明白你的心情。你問了許多問題，你有著太多困惑、猶疑、不安與不知所措。

你期待我能清楚回答你的質疑與困惑，可是啊！恕我拒絕，因為這是迷思，一種年輕人常見的迷思。用你的雙眼找到的答案，才是最適合你的答案，就算我給了你答案，你也無法理解。

因此，我只能這麼回答，請你用你的雙眼尋找答案吧！然後全心愛自己，讚美自己，你將看到你最渴求的答案。

書簡1954

049

你需要專注眼前必須做的事

若你想求得真正的自由，必須捨棄一直以來依賴的魔杖，也就是捨棄時間這觀念。

好比這都是過去的事了、不會有明天、別再浪費時間了，或是都這把年紀了……諸如此類的想法，別再浪費時間想這些事了。

你只需專注眼前必須做的事。

《克萊因與華格納》

050

一件事可以用各種角度看，認為自己的角度才對就太傻了

凡事講求邏輯性思考，貫徹到底的頭腦，無法容下一切帶有矛盾色彩的東西，而且只要發現一點點矛盾與分裂，就會傲慢認為一切皆錯。

那麼，現實又是如何呢？這世上的一切事物不是多少都帶有矛盾與分裂，卻也耀眼生輝，不是嗎？怎麼說呢？正因為世間充滿矛盾與分裂，才會如此豐富多彩。

就像我們都明白理性與知性很重要，但要是沒有體會過目眩神迷的沉醉感，又如何明白理性與知性為何？正因為事物都有兩面性，一切才有豐富可言。

《知識與愛情》

051

歲月奪不走一顆年輕的心

絕大多數人都是意識自己逐漸增長的年紀，平凡度過幾乎大同小異的每一天。

但是有點才華與自覺、洗鍊沉穩的人，卻能因應狀況調整自己的心態，重拾一顆年輕的心。這樣的人彷彿能因應各種場合，調適自己的情緒。

書簡1930

除非自己允許，否則沒有任何制約，可以動搖我們的心。

052

音樂沒有道德問題

我非常熱愛音樂，為什麼呢？
因為只有音樂不能以道德論斷。

《徬徨少年時》

053

音樂撫慰你內心的傷

音樂是最溫柔的一種藝術。

無須計較身分、階級、知識與教養，任何人都能聆賞音樂，它直接迴盪在我們的靈魂深處。

莫札特的奏鳴曲與彌撒曲對於我來說，猶如愛之手，輕撫著心靈傷口的愛之手……所以我無法想像沒有音樂的人生。

〈音樂〉

054

我只遵從內心的道德觀

我認為，不必遵守所有的道德與規範。

說得明白一點，那就是我絕對不會唯唯諾諾的遵從，為了讓政治與社會體制續存，而訂立的社會道德與規範。

但有一種是連我都會坦然遵從的，那就是從自己內心深處湧現的道德觀，意即我內心的聲音。因為這聲音有別於外在訂立的道德與規範，賦予我人生各種重要意義。

書簡1921

055

太膽小才會依賴常識的世界

膽小之人只會心滿意足地窩在由常識構築的世界，將常識當作毛衣穿在身上，以為這就是真理。這種人奉民主主義為至高之物，辛勤蓄積常識性教養。

這種人根本無法理解佛陀的真意，聖人在他們的眼中只是個狂徒。

《荒野之狼》

056

不用替真理辯護

真正的真理再怎麼扭曲，也還是真理。

若是一幅畫被奉為藝術傑作，那麼就算將畫倒掛在牆上欣賞，也會覺得構圖及色彩完美協調。

〈無意義的意義〉

057

真理只能來自你親身的體驗

何謂真理？神又是什麼樣的人？年輕朋友因為想知道這答案而讀書、研究。

可惜沒有人能教導這問題，也沒有人能說明這問題，為什麼呢？因為無論是真理還是神，都是來自我們的親身體驗。

《玻璃珠遊戲》

058

坦白說出你的感受

「你真的很討厭！」

這不是壞話。

「你不如去死算了。」

這也不算是壞話。

相反的，就算聽起來是極富知性的批判話語，條理再怎麼分明，說到底不過是格調不高的壞話，因為批判就是擅自給對方貼標籤。

但是坦白道出自己不喜歡的感受，並非批判，因為你的確有討厭的理由與感受，不必覺得有愧對方。反之，無論是什麼樣的批判，若只是為了給對方套上罪名，充其量與道人是非、潑婦罵街又有何異。

〈思考〉

059

愛不能用邏輯思考

其實理性、邏輯、意志，並沒有多大用處。

這道理只要細想，便能明白，不是嗎？

好比我們愛誰或是愛什麼東西時，並非受到理性、邏輯與意志的驅使。

動腦思考，出於邏輯的愛，很容易扭曲。我們應該更出於本能，用靈魂深處的力量活著。

書簡1932

III

變強的生存之道

060

活得任性一點沒什麼不好

任性而活，也沒什麼不好。

做自己真正喜歡的事，做自己想做的事，絕對不向任何人卑躬屈膝，也別被世間牽著鼻子走。

任性而活吧！因為這是你的命運，必須忠於自我。

〈任性〉

061

擔負所有責任，賭上自己的人生

我只愛一種「德」，看重一種「德」，那就是任性。

絕大多數的德，是不認識的人給予我們的慣例，服從這慣例，就會被稱讚有德。

但我只重視任性這種德，因為這是自己給自己的德，出於自願的服從。

擔負所有責任，賭上自己的人生，我就是這樣活著，今後也會如此活著。

〈任性〉

062

為你的任性謙虛以對

請任性的永遠展現你最真實的一面吧。因為這麼做會讓你倍感愉快，不需要討好任何人，感受真正的自由。

並非強行要求別人接受你的任性，而是盡量謙虛以對，還要視情況學會忍耐，才能換來無憂無慮和友情。

書簡 1950

063

人生的路自己走

人的一生，就是一條獨自通往自我的路。

站在這條路的盡頭，是個全然的自我，但不是每個人都能走到盡頭。

《徬徨少年時》

064

不要逃避因自己個性引發的事端

「我的生存之道是正確的嗎？」其實沒必要這麼問。

這個問題的本意大略是：

「我想，無論是我的生存方式，還是我面對的問題，都和絕大多數的人不一樣。究竟該怎麼做，才能讓自己的人生變得更美好？」

關於這問題，或許可以這麼回答：

「不必模仿他人的生存方式，只要認同自己就行了。但同時也必須為自己的言行負責。不必尋找如何做得更好的方法，也不能逃避因為自己的個性而引發的事端，只要打從心底認同、接受自己，便能活得更強韌。」

書簡1930

065

旅行一次就再青春一次

旅行的美好滋味就在沿途。
不是急迫地奔向目的地，而是隨意漂泊，一嘗流浪的甜美滋味。
這是歌頌青春的歡愉，歌頌人生的歡愉。

詩〈旅行的方法〉

066

脫離苦難的捷徑，只有走進暴風的正中心

畏懼苦難是理所當然的事，任誰都會恐懼苦難臨頭，不願只有自己陷入痛苦深淵。如果可以的話，只想遠離痛苦。

然而，任何人都有可能面臨苦難，選擇逃避的結果，就是面臨另一種苦難襲來。

如果你現在很痛苦，想早點脫離苦海，那就試著為自己闢一條捷徑。這條捷徑就是堂堂穿過苦難的核心，讓苦難侵襲全身，忍耐著前行，如此才能早一刻脫離苦海。

我就是這樣一路走來。

書簡1935

067

活著就要往前走

克服不安的最好方法，就是正面迎戰不安，看清不安的真實面貌。

離開習慣已久的安全所在，踏入未知領域的你，一定深感惶恐不安，其實每個人都是如此。所以，活著就得克服恐懼與不安，勇敢前行。

既然如此，要不就是決心捨棄自我，要不就是一切交給命運，再來就是踏出一步，小小的一步。

《克萊因與華格納》

只是小小的一步，卻不是每個人都願意踏出。

068

像孩子一樣坦率地活著

其實只要活得坦率、單純就行了。明明如此，人們卻時常萌生空泛的想像，迫使人生充滿無盡的不安。

只要坦然接受命運，像孩子、動物般自然活著就行了。

明明如此，人們卻不斷做些無謂的抵抗，到頭來只是讓人生憑添更多苦痛、混亂與不幸的色彩。

《克萊因與華格納》

069

人生真正必要的事

這世上有許多人將工作視為人生的首要義務，彷彿將工作視為神祇般崇拜。

而且視錢如命，過著終日追逐金錢的日子，認為擁有財富就是成功人生。

那麼，工作與金錢對我們而言，真的是必要的事嗎？處心積慮地忙著賺錢不該是人生的首要之務吧？窮究這些細微瑣事會快樂嗎？

不將偶發之事視為麻煩事，選擇誠實面對；無論命運如何波折頻仍，也不因此畏縮，對人生失去信心。這些事才是人生必要之事，不是嗎？

書簡1925

070

將命運看作是推進力

世上有兩種人，一種是被命運翻弄的人，一種是視命運為助力的人。

命運對於前者而言，只是來自外在的強壓之力，被一把射殺野獸的弓箭毫不留情地射倒。

但命運對於後者來說，卻是催化劑，不但不會被射倒，反而變得更強韌。

因為命運不再是來自外在的莫名之物。

而是從內心深處，從自己的個性衍生出來，成了能依自己的思想與才華，自由操控的命運。

〈查拉圖斯特拉再來時〉

071

命運是伴隨你的成長而長成的東西

什麼是命運？自己的命運不是握在他人手中，也沒有理由藏在哪裡，每個人都擁有屬於自己的命運。

怎麼說呢？因為命運是伴隨自我成長而長成的東西，猶如在母親腹中成長的胎兒。

換言之，自己一路走來的生存方式、自我意志、決斷、行為，都以命運的形式棲宿於內心。

若是不明白這件事，而選擇抗拒命運，嘗到的命運就是苦味。唯有接受、喜愛命運，才能讓命運成為甜蜜之味。

〈關於命運〉

072

一下子深感痛苦，一下子又渴求不已

我們處在販售歡樂的所在，無論是讓人興奮的東西、帶來喜悅的東西，還是讓人陶醉的東西，都能用金錢輕易購得。

這些淨是不具真正價值的東西。因為，這些是不需要奉上一點自己的血，便可以得到的東西。

也就是說，再怎麼微不足道的瑣事，再怎麼細微的心情，若不是能讓我們一下子深感痛苦，一下子又愛不釋手、渴求不已，或必須犧牲自己的一部分才能得到，這些東西就無法化為人生的經驗。

真實的人生經驗就是這麼得來的，其他東西只是矇騙我們的贗品，無法成為人生的體驗。

〈心靈的財富〉

073

勇於背負命運才是英雄

遵從國家無謀的命令，出征殺人的士兵並非英雄。即便是人群中一個不醒目的存在，只要勇於背負命運，聽從內心聲音的人，就是英雄。

〈任性〉

074

永保赤子之心

請永保你的赤子之心，因為這是你的青春。
然後用赤子之心，豐富你今後的人生。

書簡1912

075

人生就像三明治

人生並非充斥著嚴肅的事，也不可能一直讓人感動不已。
兩者的空檔間，挾著許多讓人開懷的事。

《鄉愁》

076

別讓小小的壞事，糟蹋美好的一天

憤怒、懷疑、焦慮、謊言、背叛、使壞心眼。

雖然這些都是生活中難免會遇到的事，但只要遇上其中一個，便能糟蹋原本美好的一天。

如此珍貴、短暫的一天，就此走味。

《鄉愁》

077

縱使是最糟糕的一天，也是人生中無可取代的一天

回顧過往，不覺得評價每一天是否過得幸福，是一件很愚蠢的事嗎？

雖然我的人生有許多非常糟糕的日子，但縱使是最糟糕的一天，也和其他光輝日子般，從未想過要抹去。

因為這些痛苦的日子，也是人生中無可取代的一日。

《生命之歌》

078

花一小時做自己該做的事，就可以擺脫迷惑

美醜、黑白、光與影、善與惡、生與死、成功與失敗、向上與沉淪……這些兩極化的字眼，卻是每個人心中難解的迷惑。

而且這些迷惑在人們眼中，只是彼此立場相反的意念。

其實要想斬斷如此無謂的迷惑，只需花一小時，做自己該做的事，也就是盡量全心投入工作。

光是這樣，便能掙脫一直困擾自己的迷惑深淵。

《克林索的最後夏日》

079

堅守崗位才是最高貴的情操

生存之道有何基準可言嗎？就算做了並非自己選擇的工作，也要認真看待這份工作。

總之，克盡職責，完成自己的任務，才是你該有的人生態度。

所以無須和別人比較，也不必輕蔑、責難自己，雖然會伴隨許多困難，但堅守自己的崗位，才是最高貴的情操，不是嗎？

書簡1941

080

人生就像是演奏一首樂曲

至少對我而言，沒有讓人生滿足的安定，卻也不可能停滯，所以只能超越今天，不停往前走。

音樂亦然，依著小節演奏，循序消化節奏、轉調、毫不鬆懈的持續展開，不會停滯，也不曾凍結，朝向最終音符婉轉流洩。

人生也是如此，每個人都會演奏到最後一個音符。

《玻璃珠遊戲》

081

無論是哪一天的早晨，終究轉為黃昏

花兒會結果實。
無論是哪一天的早晨，終究轉為黃昏。

詩〈一片枯葉〉

082

青苔的祕密

森林深處的大岩石上，長了一片大小如同孩子的手，鮮綠色的青苔。
這是天使在森林漫步時，他那小小的腳踏過的地方。

〈來自少年時代〉

083

消失的生命依然閃耀地活著

死去的人依舊與我們同在，並非永遠消失。無論是喜歡的音樂、歌曲、想裝飾在房間裡的畫，還是雋永到讓人不時想哼上兩句的詩，或是想反覆讀個好幾遍的書，甚至是建造這個家的人，一天要瞄個好幾次的時鐘，已經熟悉到成了風景的橋和塔，還有深深影響我的哲學、思想與故事……

這些都已經成了我們生活的一部分，但每一位都是早已到了另一個世界的亡者，不是嗎？

和我心靈相契的這些亡者依舊同在，他們豐富了我的生活，圍繞著我、教養我、安慰我，帶給我勇氣，所以他們從未消失，依舊閃耀的活著，和我一起活在這世界。

書簡1955

084

我想一個人悄悄地活著

我有個大概永遠也無法實現的願望，那就是不依賴任何人，沒有固定工作地活著。

若能這樣的話，我想偶爾徒步旅行，忘情遠眺雲和海，興致一來，打個撞球，遠離這個騷亂不已，充滿欺瞞的現代生活。

或是在陽光普照的義大利，尋一方僻靜之地，過著儉樸生活。

書簡1903

085

留心當下的每一瞬間

我珍藏一枝十九世紀浪漫派詩人，莫里克使用過的羽毛筆。莫里克小心翼翼地削著這枝羽毛筆，用它來書寫字跡端秀的詩。如果他能邊削著這枝羽毛筆，邊花些時間，為復活節的彩蛋上色的話，肯定能留下更多作品。

但是莫里克絕對不會這麼做，因為他是那種任何再細微的瑣事，也要親力親為的人。看在一切以效率為優先考量的現代人眼中，這樣的莫里克根本是個怠惰的人吧。

但這就是人生，不是嗎？不要去想如何提昇效率、如何才能達到目的，而是珍惜當下的每一瞬間，讓人生的每一瞬間化為遙遠的永恆。

書簡 1908

086

只有你能聽到自己內心的聲音

「我連自己的人生都不瞭解，究竟該怎麼做，才能過著對自己來說，最棒的人生？」

「只要傾聽內心的聲音，自然就會明白。」

「傾聽內心的聲音嗎？該怎麼做呢？」

「我不曉得你的良心長得什麼樣，也不曉得你的能力，更不曉得你真正想做的事究竟是什麼，因為只有你能聽到自己內心的聲音。別想著模仿別人，也別依賴別人的力量，只要認真傾聽內心的聲音，一定能找到對你來說，最棒的人生。到時就能以最自然的形態，明白自己必須做的事。」

書簡 1917

087

如何接受必須接受的命運

人的一生中，有著非得接受的事，好比死亡、別離、生病與背叛。

問題是，我們該如何接受這樣的命運呢？

《生命之歌》

088

找一份能讓你堅持下去，能讓你成長的工作

給你一個忠告，找一份適合你、妥當的工作。

但是我說的妥當的工作，和世人想的並不一樣，不是那種薪水比別人來得高、又穩定的工作。

而是能讓你堅持下去，能讓你成長的工作。

也許要找到這樣的工作並不容易，但是這樣的工作絕對最適合你，也才能豐富你的人生。

書簡1916

089

天職是歷經種種之後，才能明白的東西

年輕時的你，不可能找到最適合自己的天職，也無從明白如何找到的方法。

但是隨著年紀漸長、人生歷練，便能清楚明白自己從事的工作是否為天職。

當然，這時的你早已克服了無數困難，戰戰兢兢地走過搖晃不已的吊橋，也犧牲了不少……

書簡 1927

090

天職能讓你傾注熱情，深感喜悅

原來如此，在這膚淺世界中，你還有真正想要的東西。

不是隨意彈奏樂器，而是演奏美妙旋律的音樂。

不是那種只要付點錢，便能觀賞的大眾娛樂，而是讓你打從心底，興奮到顫抖。

不是金錢，是靈魂。

不是整天忙得昏頭轉向，而是讓你神采奕奕的工作。

不是一時興起的玩樂，而是讓你傾注熱情，不會後悔的東西。

《荒野之狼》

091

創作是一項艱困工作

書寫小說，並非只是描寫人生。

而是用時間與偶然，將部分人生扭曲、彙整，以現實的典型之姿呈現。

書簡1929

092

讓無意義的人生，逐漸變得有意義

或許活著這件事，沒什麼意義，因為人生這玩意兒本來就沒什麼特殊意義。人生很殘酷，卻也愚蠢得令人徒嘆奈何。

縱使如此，也要接受人生的無意義、令人厭惡以及難以理解的部分，抱持終須一死的覺悟。

這是一種自尋煩惱的過程，邊煩惱，邊哭泣，一點一滴地找到自己的人生意義。

這是擁有動物、昆蟲都沒有的感受性的人類，才能勝任的璀璨工作。

書簡1931

093

活得有個性這件事，就是一種戰鬥

你想變成很有個性的人，是吧？也想過著做什麼事都很順心，每天都是好心情的生活，是吧？

然而，愈是活得有個性，有著不同於他人的獨特個性，也意味著你與一般人的平凡之處——也就是「平庸」爆發強烈衝突。

你會對於視平凡為正常的小鼻子、小眼睛作風，嗤之以鼻，看不慣長久因循的傳統與積習，但這樣的你勢必會被人嘲笑是個怪人。

足見活得有個性這件事，是一場漫長、嚴峻的戰鬥。

書簡1929

為自由而活就要負起責任

活得自由自在不是一件簡單的事，無論是因為自己的生存方式，還是因為各種機會與場合的關係，都容易激起大小不斷的衝突與誤會。

因為這世上有著所謂的規範、道德，以及不成文的條律，只接受滿足於被囚在這框架的人。

這樣的世間當然會風波頻仍，我們該如何挺過這股風波？要抵抗這股風波？還是因應場合，選擇順應呢？一切取決於自己，只要有負起責任的覺悟，你就能活得自由自在。

書簡1956

095

獻身其中才有意義

因為有值得獻身，值得愛的東西，人生才有意義。

〈來自過往的詢問〉

096

永遠縈繞耳畔的青春之歌

青春猶如一首悅耳動聽的歌曲。
即使我們年華老去，這首歌依舊清亮的縈繞耳畔。

《生命之歌》

097

何不試著放棄一下人生

何不試著放棄一下人生呢？拋卻深究自己究竟幸不幸福的執念。
不可思議的是，你的人生變得比以往更溫醇。

《生命之歌》

098

接受每一個人生階段

年輕氣盛時的你，一心只想逃離工作，嚮往成天玩樂的生活。

而當你年歲漸增，鬢髮漸白時，又恐懼人生，為什麼呢？

這兩種態度其實一樣，意思卻截然不同，為什麼呢？因為你無法認同、接受自己的每一個人生階段，結果就漠視了生活中的各種價值，沒有領會生活中蘊含的特殊意義。

〈關於老後〉

099

死亡也是一件值得愛的事

我們愛母親、愛父親、愛身邊的人、愛溫柔的事物、愛美麗的事物、愛故鄉、愛別人，然後……愛那讓自己倍感棘手的人。一如全盤接受這樣的人生，我們也要愛死亡。

讓死亡成為人生最極致的幸福。

《荒野之狼》

100

死亡是人生中，最隆重的節日

死亡不是為人生劃下句點，又重又暗的帷幕。
死亡是節日，人生眾多節日中，最隆重的一天。

〈記憶〉

101

打造誰也模仿不來的原創人生

我們無法依自己的意思，決定事物；無法自行判斷什麼是好，什麼是壞，只能模仿世間與他人的作法，所以無論做何決定，還是覺得迷惑，甚至後悔。

其實最好的方法是，乾脆讓自己徹底赤裸一次，瞧瞧內心湧現的是什麼樣的衝動？自己究竟渴求什麼？為何惶惶不安？為何如此痛苦？試著弄清楚這些事。

然後，一切回歸原點，正視自己真正的價值觀，明白對自己而言，何謂善惡，打造誰也模仿不來的原創人生。

日記1921

102

獨自承擔痛苦的事

你必須獨自承擔痛苦的事。
這就是人生的定數。

詩〈孤獨〉

103

有錢不見得能換來身心健康

有錢不見得能換來身心健康，正因為不必花錢，人們也就容易輕忽。只要飲食均衡，每日規律運動，身心便能永保清爽。

就連感覺、感性也變得更機敏，感受四季更迭的美，心靈的喜悅，還能從萬事萬物得到無窮的生命力。

〈聖誕節前夕〉

104

依賴欲望，只會愈活愈窮困

有些人經歷無數失望與挫敗，早已嘗遍人生酸苦，再怎麼努力也徒勞無功，心神早已老去，這是一種生存方式。

有些人一心想賺更多錢，想掌握更強大的權力，一切以欲望為中心，循著這條路走的人，最終得到的報酬就是窮困至極的人生。

〈聖誕節前夕〉

105

何不像植物那樣活著

植物從種子，吐出新芽，在陽光的孕育下，開花、隨風搖曳，然後在寒風中逐漸枯萎，留下種子，死去，這循環多麼美啊！只有人們不知為了什麼，渴求某種特殊的永恆。

〈庭園〉

106

「麵包」這字眼，有良善的意思

我認為，正因為「麵包」這字眼平淡無奇，所以對於人生而言，有著深沉重要的意涵。

像這樣極為平常，任誰一天都會說上好幾回的字眼，蘊含著生命力，也是必備的生存之物，混雜著令人懷念的溫醇味道，也深藏著與許多人同桌共食的愉快記憶，是個充滿美好的東西。

麵包這字眼就是有著如此重要的含意，所以義大利人真心讚美一個人的良善時，會說：「那個人就像麵包一樣善良。」

〈麵包這字眼〉

107

人生的體驗都是自己找來的

若是真的有輪迴之說，也就是以不同面貌再次出世，我想不少人應該會安心不少吧。因為就算死去，也能重生。

因此，可以說人生體驗到的所有事情，都是因著自己的期望而發生，就連再怎麼難熬的經驗、殘酷的命運，也是因為某個時代的自己所選擇的。

但是你真的能夠理解並接受眼下的命運是這樣的說法嗎？

書簡1920

108

別為小事煩憂

你之所以覺得人生混亂不堪，是因為你耗費過多時間在無謂的小事上，卻極少真正的面對自己，以致於被煩憂奪了心，不是嗎？

若是不想讓生命耗費在這種小事上，就需要一些對於音樂的感受性，也就是當你專注一件事時，會因為某種觸發而產生共鳴感。

當你瞭解這樣的感覺之後，便能以歡喜的心態面對工作，心緒自然調和、舒緩。

再來就是尋找心中一股不變的快感，讓人生依著這股快感前行。只要秉持一個堅實的信念，就不會為小事煩憂。

書簡1910

109

人生的意義讓你真摯地活著

就算我們強行獲取想要的東西，貪圖享樂，竭盡所能地增加財富，還是倍感空虛。

為什麼呢？因為我們真正想要的東西有其意義。

那就是活著這件事。

就算你遍訪世界各地，也尋覓不到這件事，因為人生的意義就是真摯地活著，這是一件只有自己才能給予自己的東西，聖經和所有哲學思想能幫助你尋覓到這件事。

書簡1933

IV

人生無法計量，何必錙銖必較

110

人要是沒了喜悅的心，就無法活下去

人這玩意兒，無論長得什麼形狀，無論再怎麼不起眼，要是沒了喜悅與歡愉，便成了無趣的東西。

即便身處痛苦時，也是如此。

《略歷》

111

坦率表達喜悅，不必隱藏

喜悅是一種能力，不必忍耐，坦率表達你的喜悅吧。喜悅也蘊含著美的感受性，所以不必裝腔作勢，坦然地表達你對於美的驚豔。

猶如沉醉於優美的協奏曲旋律，像隻小貓般蜷縮著身子，輕搖著頭的可愛模樣。虛有其表的東西不可能蘊含深遠的美，人生中的許多小事都很美，能讓我們深感喜悅。

〈幸福〉

112

真正的才能會以各種形式展現

如果是有價值的才能，絕對不會只以一種形式展現。
它會以不同的形式、面貌，盡情展現。
因為真正的才能具有多面性。

書簡1908

113

人要是沒給事物賦予意義，絕不會善罷干休

「人啊！就是有一種非得給所有事物賦予意義，否則不會善罷干休的怪癖。」

來自義大利的古老壁爐這麼說。

〈與壁爐的對話〉

114

生命力愈脆弱的人，愈依賴金錢

炫耀自己的雄厚財富，以為用錢便能驅使別人的人，其實是個非常脆弱的傢伙。因為他們知道自己的生命力，沒有信賴這字眼可言，所以藉由金錢，假裝自己具有旺盛的生命力。

同樣的，凡事以金錢、損益決定自己行為的人，內心沒有任何值得信賴的東西。

〈任性〉

115

用欲望看待任何事物，就只看得見欲望

從高處遠眺的森林之所以美得難以形容，是因為這片森林不屬於你，你也沒有想買下這片森林的念頭。

如果起了想利用這片森林，大撈一筆的念頭與計畫，森林在你的眼中，便不再是美的化身，為什麼呢？因為貪婪的念頭，讓你看不見森林的美，只見到自己的欲望與金錢。

同樣的道理不僅適用於森林這般自然風景，對待人也是如此。只要抱持要求與偏見看待對方，映在你眼中的就不是對方，而是自己的欲望與計算。

〈關於靈魂〉

116

大部分人總是習慣偽裝自我

雖然人類也是大自然的一份子，卻與樹木、雲朵、海浪等，明顯不同，因為許多人不願以真實模樣活著。

大部分人在社會中，總是習慣偽裝自我，以致於連自己都不懂自己。

與其戴上面具，偽裝自己，何不以真面貌示人。

《鄉愁》

夢想要能夠自立更生

人們抱著各種夢想而活，想實現這個、想做那個，描繪許多夢想，但絕大部分都無法實現。

因為他們的夢想不是從自我能力萌生的夢想，他們的夢想充其量只是不想負任何責任的欲望。

《徬徨少年時》

118

每個人的身體都住著所有人類的靈魂

我們主觀性認為自己之所以不同於他人，是因為個性與人格特質的關係，然而一旦這麼想，便容易畫地自限，只著眼不同於別人的地方。

那麼，究竟該如何看待呢？其實每一個人都是由構成全世界的要素，塑形而成的，意即每一個人的靈魂裡，都棲宿著所有人類的靈魂。

若能這麼思考，我們就能開創更多可能性，不是嗎？

《徬徨少年時》

119

這世上的歧視與紛爭，均起於人心

充斥於世的極端歧視、怨憤、排斥、扭曲的價值觀、中毒、放蕩、窮困、傲慢，無止盡的苦惱，從未停歇的紛爭、血淋淋的戰爭、所有恐懼……

這一切的一切，均起於人心。

《克萊因與華格納》

人難免都只從自己的立場看事情，而這樣的立場隨時都會改變。

120

千萬別一味地依從別人的判斷

這世界究竟是極度不合理到令我們哀憐？還是一切完美無缺，每一件事物都正確無誤呢？

大部分人肯定輕易相信兩者皆是吧。只是他們相信何者，往往取決於現在錢包裡塞了多少錢、肚子是否填飽、天氣如何、心情又是如何等因素。

《生命之歌》

121

有知識、知性的人，不一定有智慧

龐大知識的彼端並非智慧，若說知識與知性能萌生智慧的話，那麼古今東西的學者與宗教人士，都是能活用智慧的人。

其實不然，無論是學者還是虔誠的宗教人士，不一定都是充滿智慧、勤於善行之人。他們之中不乏是以間接形式，荼毒、殘害人性，心靈貧瘠至極的傢伙。

反之，就算平日沉迷女色、個性邋遢之人，哪天也能表現出與聖人無異的行為，足見不能單憑學歷、頭銜名氣，決定一個人是否有智慧。當然，真正的智慧往往是當下才能體驗到，既無法用言語形容，也無從驗證……

書簡1922

122

容易驅役一個人的不是思想，而是金錢與名聲

縱使對於耶穌「請愛自己」的教誨銘感於心，還是很少有人真的會因此稍微改變自己的行為。即便對於詩人、哲學家、思想家的想法感動不已，還是很少有人會因此稍稍改變自己的生活方式。

然而，金錢、利益與名譽卻能輕易驅役一個人的心，因此才會出現戰爭這個無情的事實。

書簡1929

123

平凡人遠比天才受世間青睞

一般學校無法培育出天才型的孩子，因為一般學校只想培育思想健全，也就是依從普世價值觀、身體健康、大家的才能都差不多的孩子。

世間亦然，世人視天才型的人是燙手山芋，一個無比麻煩的存在，結論就是平凡人最受世間青睞，因為這類型的人最適合從事生產、買賣之類的工作。

書簡1930

124

叛逆的年輕一群中不乏天才

無法適應教育體制的少年們，一心只想逃離大人訂立的規則與紀律；放蕩不羈的年輕人，老師怎麼看都不順眼的學生；不斷反抗校規，遭到退學的孩子，這些年輕族群中，不乏令人驚豔的藝術家，開啟文化新氣象的天才。

當然也非全然如此，大部分年輕人反叛、抵抗到一個臨界點，就倦了。因為他們連自己該往哪兒走都不曉得。

《車輪下》

125

平庸的人，發掘不了有才華的人

老師總認為自己的職責，是將年輕人塑造成符合社會標準的模樣，這卻是令年輕人痛苦萬分的事，無奈為人師者覺得這麼做才是愛的體現。

或許可以這麼說，因為老師過於單純，只知道這個教育方式，他們不曉得才華是何物，又何來發掘可言。還有一個原因，那就是沒有多餘心力，缺乏知性的老師，充其量只是個平庸之人。

問題是，教育可不是輕易說句沒辦法，就能馬虎看待的事。因為只要這種教育現況不斷的持續下去，就會在社會各層面漸顯破綻。

書簡1948

不想被打造成平庸的人，就要更努力讓才能綻放光芒。

126

無論是資本主義者還是社會主義者，同樣卑劣

在我眼裡，資本主義者與社會主義者無異。
兩者都在致力追求更多報酬與稱讚，所以同樣卑劣。

書簡1930

不公不義，然後呢？

年輕人看起來很強悍，有著旺盛精力，他們從不停止批判、撻伐這世界不公不義，怨憤大人們一手打造了邪惡世界，批評有些大人卑劣、傲慢又缺德。

那麼，他們實際上又做了什麼呢？除了追求心儀的異性之外，只求自我享樂，不是嗎？他們不會為現狀負起任何責任，也無自覺自己是社會的一份子，既不積極有所作為，也不參與公眾事務，只會冷眼旁觀地嘲笑。結果他們只是虛晃人生，毫無見長，這和那種只會沉醉在年輕歲月的糟老頭又有何兩樣？

書簡1931

128

年輕的心靈，都只想著自己而已

大抵來說，年輕人是孤獨的利己主義者。

他們不時悄悄地想著，希望只有自己永遠活著，所以凡事都以自我為中心，認為自己的利弊得失，才是最迫切的問題，奉自我快感為至高價值。

然而，一旦稍有閃失，或是發生意料之外的事，年輕人就會像墜入無底深淵般一蹶不振。反之，遇到開心的事，就彷彿自己站在世界的頂峰般得意忘形。

之所以落差如此大，成了最滑稽的悲喜劇，正是因為年輕人只為自己而活，從來沒嘗過為他人而活的溫暖充實感。

《生命之歌》

129

任性的人，才有真性情

說一個人有個性，是一種正面評價，但是說一個人很任性，卻成了負面批評。

其實任性之人，才有真性情，才能活得坦率。反觀被說是有個性的人，只是偶爾展現獨特的想法與意見，其實他們的生存之道，與一般人無異。

〈任性〉

130

音樂不是光靠嘴皮子，而是要動手演奏

雖然有各種關於音樂的論述，但是到底這些論述有何意義呢？其實音樂是說破了嘴皮子，也毫無價值可言的存在。

論述音樂是一種美學角度，是一種興趣，然而這樣的述說並無意義，也不重要。

最重要的應該是動手演奏，不是嗎？巧手演奏能讓眾人歡愉，隨著音樂翩翩起舞，帶給人心滿滿的喜悅。

《荒野之狼》

131

孩子的靈魂和父母不一樣

每個孩子都有自己的新靈魂。

但是父母卻完全沒有察覺這一點，一心認為孩子連靈魂也傳承於自己。

所以當他們覺得孩子的想法與行為有別於自己時，只覺得孩子在耍脾氣，不然就稱是隔代遺傳的關係，或是偶發情形，從來不去思考孩子也有自己的新靈魂。

《漂泊的靈魂》

132

每個人都有無數個靈魂

你我都不只有一個靈魂，而是有著無數個靈魂，有魔性之魂，也有狼之魂。

由許多靈魂精密組合成一個人。

《荒野之狼》

133

不要承諾太過火

你說女孩子們都不肯聽你好好說？

這是當然啦！原因出在你身上，因為你給了她們太多承諾。

《漂泊的靈魂》

134

賭博失去的不只是金錢

賭博最可怕的不是失去金錢，而是一旦輸了，除了口袋空空之外，也丟了夢想、希望與自由。

看一看賭輸傢伙的背影，就知道有多麼失意了。

《克萊因與華格納》

135

小鼻子、小眼睛作風萌生了惡

這世上多的是那種一派小鼻子、小眼睛作風，只求自己好的傢伙。他們無論身處任何場合，都會為自己找到一處安全之所，因為他們懂得明哲保身，只窩在對自己來說，最舒服的環境。

他們處理任何事，都避免極端化，所以他們根本不懂什麼是藝術，也無法理解什麼是神聖的東西，認為健全之人偶爾萌生的墮落與放蕩，根本與自己無緣。

也因此，他們制訂能一手掌控的制度，還訂立法律合理化自己的暴力行為，甚至因為不想負責，而打造投票制度。

《荒野之狼》

136

個性也是一種妄想

個性？
這也是一種妄想。

《荒野之狼》

137

天才總是超乎常人的理解

總是一派認真努力，不失天真無邪，情緒不會起伏不定，成績中等，懂得察言觀色的乖乖牌是老師們眼中的好學生。但也因為有這樣的學生，為人師表的理解與同情才會如此膚淺，培育出全是一個模樣的芸芸眾生。

對老師來說，天才是個有點惹人厭的存在。天才不在意規範與世間善惡，時而任性、時而表現得比大人還成熟，而且天才依才能與態度，不是成為聖人，就是惡人。

《車輪下》

138

靈魂是協調狀態時，自然活得充實自由

耶穌基督說：「所有都是你的。」

這句話到底是什麼意思？如果所有都是自己的，為何很多事都無法照著自己的意思去做呢？

我認為耶穌基督指得是我們的靈魂，意即我們的靈魂達到協調狀態。

當靈魂協調時，自然而然就能過得充實自由。

書簡1921

139

增長知識的同時，疑惑也跟著愈多

萬事萬物都是知識，或許可以說，知識猶如一種道具。

那麼，知識豐富之人就是指擁有很多道具的人嗎？那麼百科全書就是一本匯集許多道具的便利之書囉？

我告訴你一件事，那就是增長知識的同時，疑惑也跟著愈多。知識森林的深處，有一處更昏暗的疑問山谷。

書簡1936

140

我喜歡說真話的人

也許我給人討厭與人交際，總是離群索居的印象，其實不然。

我和農夫、小孩子們處得很好，也很喜歡搭船，在港邊和漁民們暢飲；我也會和畫家、建築師談笑風生，喜歡造訪他們工作的地方。因為這些人很坦率、會說真話，真心看待自己的工作，所以我喜歡和他們打交道。相反的，我絕對不會出現在那種華而不實、用謊言構築的社交場合，我寧可閱讀、打撞球，享受一個人的時光。

書簡1903

141

這世界要是沒了感性，便成了荒蕪沙漠

可愛的女孩為何可愛？有著美麗容貌與姿態的女性，為何深具魅力？塞滿紙鈔的錢包，為何讓人覺得自己很富有？褲腳折得整齊，為何讓人覺得心情清爽呢？傲慢傢伙發動的戰爭，為何讓人覺得格外悲慘？答案就在你我身上，因為我們有著感性與感情，這也是判斷事物的依據。要是沒了感性與感情，所有事物膚淺化，這世界便成了荒蕪沙漠。

〈紐倫堡之旅〉

142

對一切有「感覺」才能有活著的快感

人為什麼要旅行？為何想見見異國的風情與建築？為什麼想呼吸新鮮空氣？為何旅行能帶來快感？

人為什麼想一嘗在大海、河川游泳的爽快心情？為何揮汗磨練球技？為什麼那麼享受從山頂滑下來，再踩著厚雪緩緩前行的樂趣？

這些都只有一個理由——那就是我們追求身為人的感覺。

我們能夠觀看、聆聽、嗅聞、感受、忍耐；我們可以靈活行動、區別美醜，可以感動、心靈變得豐富……

因為我們充滿感性與活力，因為明白這些感覺能讓自己有活著的快感，所以為自己的存在深感喜悅。

〈某天的旅程〉

夏之禮讚

夏日多美好。
滂陀大雨過後，夜空分外清明。
栗樹的花兒綻放，茉莉花飄散花香。
穀物熟成，夜晚時有雷雨。
這是個大人們猶如孩子，感受活著一事就像火焰的季節。

〈迎向夏日〉

144

依隨大自然

我不會對於自然的改變，有任何抱怨。或許有人覺得大自然無比殘酷，但是我不認為。

雖然酷暑夏日，挑水挑了兩個小時是一件苦差事，但我覺得這就是夏天，一種屬於夏天的感覺。炎炎夏日，寒冬降雪，這就是我希望見到的季節更迭。

要是成天抱怨天候變化，大自然有多麼殘酷無情，人生肯定充滿困難，沒有愉快的一天。

〈夏日的信〉

145

大自然能療癒人心

緩緩流動的雲，刺著雙頰的寒風，療癒了痛苦、悲傷，墜入深淵的我。

〈終曲〉

146

將自己與一切連結

我喜歡將小船划至廣闊的湖心，然後仰躺在小船上，盡情伸展四肢。陽光直通體內，沁遍全身，感覺自己快曬黑時，便躍入水中，感受自己與光、水、空氣融為一體。

我成了雲、成了歌，我知道自己與一切都有連結，連內心都變得孩子氣。

〈慵懶的日子〉

147

光靠一點興趣，無法成就真正的藝術

單憑一點興趣，絕對創作不出好作品；抱著半調子的心態，絕對寫不出一行詩。

必須拚盡整個人、整個靈魂，才能成就真正的藝術，所以創作這件事就是賭上自己的靈魂與人生。

書簡1920

148

藝術家並不愛自己的作品

這世上，真的有藝術家深愛自己的作品嗎？

日記1921

149

心智健全的正常人，無法成為藝術家

心智健全的正常人，就是沒有才華的人。藝術家具有的不是瘋狂，而是讓瘋狂變得異常。

在他們的心裡，瘋狂早就與才華有所連結。

〈豐富的空間〉

150

藝術與安穩的生活無法兼顧

藝術家這工作，必須將創造力燃燒到自己幾近毀滅的地步。就像在只有自己一個人的戰場上，孤軍奮戰，激烈到必須犧牲安穩的生活與幸福。

《生命之歌》

151

藝術家必須放棄幸福

天賦異稟的藝術家，為了創造與自我覺醒，必須犧牲一般的幸福——那是不用背負這種責任的大眾，所享受的一般幸福。

書簡 1961

152

藝術家的必備條件

若是想從事藝術創作，只有滿腔的熱情與創意是不夠的，還要具備賢明、伎倆、能力、執著，以及幸運女神的眷顧。

就像知名畫家雷諾瓦，他不是什麼思想深遠的人，但他始終堅持自己的信念：「在這充滿煙硝味的世界，必須要有更美的東西」，用明朗色彩成功體現他的理念。

雷諾瓦踏實努力的創作，從來不曾半途而廢。

〈水彩畫〉

153

詩的魔法

我創作詩時，施了魔法。

好比颳起暴風雨，再讓暴風雨遠去，而這場暴風雨就是我自己。鳴空而過的鳥兒是我，奔流的河水是我，哭泣的孩子是我，盛開又凋零的花兒也是我。

〈魔術師〉

154

人終須一死

我常看著路邊的石頭，心想這顆石頭遠比我堅強；我常望著挺拔而立的樹，心想這棵樹遠比我長壽。

人生無法計量，不知何時自己會成為樹根、成為土壤、化為石頭。

這麼一來，我就不需要在紙上綴那麼多文字，也不必將牙科看診收據塞進提包，更不需要被傲慢的公務人員，詢問關於國籍證明文件的麻煩事。

我可以幻化成各種東西，被救贖的同時，也逐漸消失。

〈拜訪春天〉

155

在另一個世界，每個人都會成為一個莫大的靈魂

佛陀涅槃的意思，就是回歸，回歸創造我們的莫大靈魂。所以在這世上的我們不是個體，而是被分割成個體的每個人，最終都會回歸莫大的根源。

日記1921

156

當你滿腦子只想著自己，就會覺得孤獨

找不到真正瞭解我的人，雖然我試著保持平常生活、工作，但是我真的很無助、很孤獨，只有自己一個人的房間猶如黑暗深淵……

其實有一個簡單的治療方法，那就是不去想有什麼事能讓自己幸福，也別在意別人對你的評價與批判，因為這些都是毫無意義的事。總之，停止你的胡思亂想與臆測。

你應該關心這世界發生的事、關心別人，好好瞭解身邊的人。若是行有餘力，不妨傾聽他們的心聲，帶給他們歡樂。

《生命之歌》

157

人際關係必定能修復

人際關係是一種微妙、不太安定的關係，也往往是許多複雜難解問題的根源。

當彼此的關係陷入危機時，不妨主動釋出善意，體貼對方的心情，必定能修復已經有裂痕的關係。

書簡1924

主動釋出善意，關係才有可能改變。

158

如何構築人際關係，取決於自己

你是如何與人往來，構築人際關係？

有人是模仿從小看到父母、親人與人來往的方式，也有人是取決於利弊得失。

更多人是盲目跟隨世間的風俗習慣、價值觀，或是因循傳統。

因此一旦發動戰爭，便認為殺死敵軍是理所當然之事，從未真正思考過自己應該如何與人往來，構築人際關係。

書簡 1920

159

瞭解彼此，並非易事

只要敞開心房，便能深入瞭解彼此。
我們卻不願意深入瞭解彼此，只著眼於彼此的落差。
其實這兩件事並不矛盾，因為都是事實。

《玻璃珠遊戲》

160

著眼於彼此的共通點

正因為每個人都是獨一無二的存在，才會感受到彼此之間那一道難以跨越的鴻溝。

那又如何？彼此擁有的共通點不是更多嗎？

著眼於彼此的共通點，不是更重要嗎？

《生命之歌》

161

群體的成因，起於畏懼彼此

群體是由一群人打造而成的，彼此約束、一起行動，鞏固群體。

那麼，這群人為何會聚在一起，在意彼此的動向呢？

理由說來可笑，因為畏懼彼此的存在啊！所以才會聚在一起，卻又各懷鬼胎、相互猜忌。

也是因為知道自己不是時代的中堅份子，要是不聚在一起，共同發聲，根本連表達一丁點意見的機會都沒有。

《徬徨少年時》

162

要有不依附群體而活的覺悟

很多人渴望成為群體的一份子，也為了打造群體而活。這些人制訂了群體中的上下從屬關係，並以此為基準進行支配，彼此假裝掏心置腹、順從，堅信這世界就是如此。其實這些人膽小怯弱，奉行明哲保身之道。

當然也有不隸屬於任何群體的異類，他們猶如昂首立於荒野的一匹狼，獨自背負自己的人生，勇敢而活；驟然離世，卻從此不被世人遺忘。

〈任性〉

163

接受自己的赤裸靈魂

讓自己的靈魂變得清晰可見，這句話的意思是，以更坦率、真誠的方式待人接物。不少人精於計算利弊得失，總是愛說些漂亮的客套話，給自己穿上厚厚的保護衣，哪怕只是一瞬間，也不讓別人看見自己赤裸的靈魂。

一味地隱藏真實情感的結果，就是連自己的靈魂也不曉得去了哪裡，只因為心中有所畏懼。

所以他們的靈魂始終處於不成熟的狀態。唯有坦然接受自己赤裸的靈魂，靈魂才有成長的機會。

〈關於靈魂〉

164

一旦長大成人，就會變得孤獨

所謂長大成人，不是達到法定年齡的意思，而是離開父母，揮別年少時代，學會面對孤獨。

但是不少人遲遲無法穩健地踏出這一步，總是猶豫的又縮回腳，內心永遠依戀著親人、故鄉與過往。

〈查拉圖斯特拉再來時〉

V

跟隨「被愛支配的心」前進吧！

165

就讓這世界多一些愛吧

戰爭、革命、日新月異的科技、經濟發展等，真的能讓世界變好嗎？有什麼決定性的力量或英雄，能讓世界變好？當然有，我們缺少的不就是愛嗎？

既然缺少愛，那就讓這世界多一些愛吧！

只要從自己能力所及之處做起，用笑容面對一切，停止對這世界心懷埋怨憤怒，誠實認真地看待自己的工作。

肯定能帶給這世界更多愛。

書簡1944

166

只要有愛，一切就有價值

我們總是蔑視感覺性的東西，習慣以高貴、價值衡量精神上的東西。

然而，感覺性的東西往往價格不斐，精神上的東西卻不見得有價值。

只要有愛，有熱情，有感動的話，每一樣東西都具有人性的價值。

所以我們會熱情地擁抱彼此，心血來潮時會作詩，這些事沒有上下貴賤之分，只要有愛，一切就有價值。

《克林索的最後夏日》

167

有愛就是勝利者

勝利女神眷顧的人，有三種共通性。

心中有愛、堅毅不屈、寬大為懷。

相反的，抱持敵意、挑釁的態度看待人事物，以敷衍的態度面對工作，總愛批評、嘲笑他人，這三種行為只會離「勝利」這字眼愈來愈遠。

書簡1932

168

唯有愛，能讓這世界朝美好一途前進

現實世界絕對不像老人家所言，以往遠比現在美好。這世界不但從來沒有美好過，還沾滿泥濘。所以唯有愛，能讓這世界朝美好一途前進，能讓這世界變得有價值。

《荒野之狼》

169

幸福之道永遠只有一個名字，那就是「愛」

無論是金錢、地位、名聲、結婚還是勝利，絕對無法給你幸福的承諾。不，應該說這些東西是幸福絕緣體。

幸福之道永遠只有一個名字，那就是「愛」。

〈摘自馬丁的日記〉

170

愛是不需要理由的

知性與教養是偉大的美德，它們讓批評不再是醜惡的事，忠於自我原則去評論所有優秀、才華洋溢、嶄新的事物。

然而愛不一樣，無法以知性與教養來評斷，哪怕是微不足道的事、小小的喜悅、路旁不起眼的野花……在在都是愛，沒有任何複雜的理由。

就某種意思來說，愛是超越知性與理性，一種永恆的意念。

〈關於文學的表現主義〉

171

讓愛支配你的心

為了發現美麗的事物，感受至善的事物，為了遇上愛，必須付出一定的代價。

這代價絕非金錢，而是付出你的心。

〈寫給某人的信〉

172

真正的愛，祈求不來

愛不是用祈求，便能得到的東西。

《徬徨少年時》

173

愛伴隨的疼痛感，能讓你成長

愛這件事，往往會伴隨心痛，只要有愛，就會有苦惱。
但你要是得到這樣的愛，一定會成長，
愛會讓你像味道濃郁的起司般，有著深沉的成熟。

《鄉愁》

174

靈魂就是愛的力量，一股創造事物的力量

靈魂的本質就是永遠，但靈魂究竟是什麼？我也不清楚，因為我從未解剖、分析過靈魂。

但我們還是可以清楚感受到靈魂的存在，因為靈魂就是一股愛的力量，一股創造事物的力量。

《徬徨少年時》

175

你的愛必須強大到能吸引對方

千萬不要認為愛對方一事，就是送給對方最珍貴的禮物。
其實不然，是因為你的愛必須強大到能吸引對方。

《徬徨少年時》

176

夫妻之愛，遠大於情侶之愛

雖然「愛」就這麼一個字，卻有各種形式的愛，好比熱戀中的愛情與夫妻之愛，可說截然不同。

年輕時的我們總是以自我為中心，凡事只想到自己，所以年輕時的愛往往傾向利己主義的愛，甚至認為要求對方也是出於愛。

長年相伴的夫妻之愛，就不一樣了。是一種蘊含體貼、感謝等許多心意的愛，可惜這世上少有因為這種愛而相守的兩人。

《生命之歌》

177

真愛比命運更強韌

即便是自然之力，也有難敵偶然與命運的時候。

但哪怕只是一瞬間，我們還是有可能贏過自然與命運，那就是心懷真愛之時。

《生命之歌》

178

愛，就是救贖

愛，就是救贖。

雖說如此，但不是等待著誰的愛來拯救你，也不是企求從別人那裡獲取什麼。

而是你主動對誰或是對於什麼，付出你的愛。

《克萊因與華格納》

179

無論再怎麼相愛，靈魂也無法合而為一

兩人之力可以結合，像是寒冷日子，緊緊相依，或是彼此疼惜、相愛。

兩人的靈魂卻無法合而為一，因為每一個靈魂皆不同，這是叫人難過的事？還是令人嘆息的悲劇？

花兒也一樣，雖然能藉由花粉、香氣，隨風播種，但根部還是深植於大地，無法移動，那根部就是花兒的靈魂。

《漂泊的靈魂》

180

女性的愛，是無比偉大的力量

女性的愛，是無比偉大的力量。
她們不吝於犧牲奉獻，她們的偉大與強韌亦是難以言喻。
努力付出愛的她們，美麗得讓人無法直視。

日記1933

181

愛猶如一所學校

愛在我們的心裡蠢蠢欲動，愛驅使著我們付諸行動，愛猶如一股不可思議的能量。

但是愛不可能總是甜蜜，因為愛會衍生悲劇，也會引發犯罪，當然也可能成為榮耀。愛衍生出多種面貌的同時，也帶來不少痛苦。

我們就是經歷幾番這種痛苦、辛酸與無奈，才成為大人，成為成熟的人，所以愛猶如一所讓我們蛻變為成熟大人的學校。

書簡1903

182

愛情也是煩惱、痛苦的根源

為何會有愛情這玩意兒？

愛情是為了讓人感覺幸福而存在嗎？不，愛情不一定與幸福畫上等號。

煩惱、痛苦、苦悶、無奈與絕望、不得不忍耐，愛情清楚告知我們自己能變得多麼堅強。

《鄉愁》

愛情清楚告知我們自己，能變得多麼堅強。

183

無須畏懼愛情的衝動

從體內竄出的衝動，絕對不是什麼卑劣之物，也非什麼禁忌。

所以我們無須畏懼自我靈魂渴望的東西。對你來說，渴求愛情的衝動是最棒的東西，所以不需要顧忌他人的眼光。相反的，要是你選擇隱忍這股衝動，只會讓你失去更多。

但是也不能被這股衝動沖昏頭，只要懷著深深的敬意與愛，並且溫柔地對待，這股衝動勢必能為你的人生帶來更有意思的意義。

《徬徨少年時》

184

靜謐又溫暖的戀曲

古老的戀心猶如靜謐的炭火。
沒有激情的火花，只是靜靜地燃燒，溫暖了心頭，也溫暖了被寒冬夜晚凍著的指尖。

《鄉愁》

185

縱使愛情已逝，這股力量依然在

我經歷了一段戀情。

這段戀情給了我無比珍貴的東西，不是甜蜜的吻，不是兩人在黃昏下漫步，也不是擁有只屬於我倆的祕密。

這個珍貴的東西就是力量，一股為了對方在所不惜的力量，一股哪怕只是瞬間，也願意犧牲歲月、犧牲自己的力量。

縱使戀情已逝，這股力量依然在我體內，這是多麼令人開心的事。

〈秋日漫步之旅〉

失戀能讓你更強大

不管怎麼說，失戀是一件非常痛苦的事，所以不必隱忍，盡情哭泣吧。因為即便過了好幾天、好幾週，還是覺得內心像破了個大洞般難受。

但是請不要就此認為失戀的衝擊是莫大的損失或失敗，也無須怨天尤人，而是慢慢品嘗失戀的痛。

為什麼呢？因為這股疼痛強烈到讓你深刻感受，讓你更成熟的面對自己，所以失戀並非壞事，能帶給你更多收穫。

書簡1929

187

暴君與奴隸的關係，並非愛情

一個是殘暴的暴君，一個是對暴君百依百順的奴隸，真正的愛情，絕非主從關係。

《生命之歌》

188

愛情不會和幸福畫上等號

你問，愛情能否帶來幸福？怎麼可能。我覺得你這句話問得有點奇怪，因為愛情與幸福無關，又怎麼會帶給我們幸福。

愛情讓我們深深明白自己有多麼苦惱，多麼能夠忍受。

《鄉愁》

VI

別讓長大帶走你的笑容！

189

多思無益，敞開心房最重要

面對這世界，其實多思無益，就算你想盡辦法理解，也不可能明瞭透徹，因為在你想通的瞬間，又被數不盡的謎團包圍。不如停止鑽牛角尖，敞開心房，慢慢地融入人群。

《克萊因與華格納》

190

試著以純粹的心，觀察這世界

別想著要比別人從這時代，早點發現到什麼，也別覬覦什麼賺錢的門道，而是試著遠遠地、沉默地、純粹地觀察這世界，才能發現世間的各種變化。畢竟多瞭解一些，才能從容應付各種狀況。

〈黃昏的雲〉

191

再多的錢，也買不到純真的喜悅

昨夜的雨滴落在盛開的花朵上，少女們為了熬製治療氣喘、退燒的茶，架上了梯子，摘下開在樹上的花。花香四溢，煦煦陽光，搖晃的樹影，這世界彷彿充滿喜悅。

雖然純真的喜悅無價，卻無償地給予任何人。

住在大城市的人們衣食無虞，但瞭解如此純真喜悅的機會卻少得可憐。

〈菩提樹開花〉

旅人承載著滿滿的感動

旅人在陌生土地上，享受當地的空氣與食物，欣賞讓人忘了言語的奇蹟美景，被人們的純樸深深感動，眺望令人沉醉的夕日，然後承載著滿滿的感動，再次啟程。

反觀這片土地上的人們，早已習慣自己身處的環境與自然，根本無法體會旅人的感動，只是隨著四季更迭，日復一日的生活著。

為何只有旅人能感受到這麼多？因為他懷著今生不會再踏上這片土地的心情，以此欣賞這片土地的美好。

〈菩提樹開花〉

試想我們可有過今生不會再踏上一塊土地的心情。

193

金錢無法買到真正的價值

用錢無法買到愛，卻能輕易地買到快樂。
唯有奉上自己的時間與血汗，痛苦與犧牲，才能買到真正的價值。

〈豐富的內心〉

194

男人透過女人，才開始明白什麼是現實

男人獨處時，往往處於幻想狀態，無論是作著快樂的夢還是惡夢，永遠都是獨自一人的夢。

當男人與女人有所接觸時，才開始明白什麼是現實。

筆記1921

195

美麗的東西無法計量

美麗的東西無法計量，往往帶著一抹悲傷，透著一股莫名的不安。好比秀髮飄逸的少女們，飛翔空中的鳥兒、蝴蝶，還有從雲朵縫隙流洩的夕陽。

《漂泊的靈魂》

196

哪怕一瞬間也好，去尋找美麗的事物吧

去尋找美麗到讓你忘了自己、忘了深沉傷痛的美麗事物吧。無論是藝術還是大自然，哪怕一瞬間也好，去尋找美麗的事物吧。

人生必定伴隨著哀傷與悲慘，猶如驟雨般來得快，去得也快，但是映在你眼中的美麗事物卻永不消失。

〈永恆的美麗事物〉

不同於哀傷與悲慘的事，美麗永遠不會消失。

197

不要多想，用看的——便能發現美

不必多想，用你的雙眼欣賞，便能發現這世上萬事萬物皆有它的美。因為你懷著愛，看待這世界。

〈關於靈魂〉

198

再平實的東西，在你眼中也有新趣

再怎麼細微的事物，只要你用心觀察，也能發現它的美與真實。

期許自己有一雙能看見真實與永恆之姿的眼睛，好比雨滴、蝴蝶的翅膀、蜘蛛網、浮雲，這些再平實不過的東西，在你眼中也有新趣。

筆記1909

199

美是造物主展現形姿的一種方式

美不只是一種主觀意識，美也不是人們打造出來的東西。
美是神展現形姿的一種方式。

〈想寄給某位女歌手，卻沒寄出的信〉

200

大自然就像文字，可以解讀許多事

習慣於生活在現代機械文明中的我們，感覺大自然就像遠遠操控的布景、自動照明設備。

其實大自然猶如豐富多彩的象形文字，我們可以從自然現象中解讀許多事，所以大自然是藝術的根源。

〈關於蝴蝶〉

201

美麗的雲朵

雲在廣闊無垠、連距離也摸不清的虛幻空間裡，以各種別出心裁的模樣吸引我們的目光。

雲吸引我們仰望天際，溫柔地連結天空與人們，喚醒我們有別於仰望太陽、月亮和星星時的心情。

雲總是不停地變換模樣，除了清楚展現它那永恆的美，也帶給我們一抹哀愁。

〈雲〉

202

愛雲如我

我的罪在漫長歲月中，就愛徬徨於天際的雲，更勝於人。

詩〈我的人生為何？〉

203

當以善與高貴，為最終目標

有人說，人生是殘酷的，大自然是殘酷的，歷史是悲慘的。

這和只經歷過幾段戀情，「什麼情啊、愛的，不是很痛苦嗎？根本和甜麵包的味道完全不一樣，不是嗎？」便如此妄斷的說法有何兩樣。

所有事物都有痛苦的部分，也有殘酷的一面，但不能忘記的是，無論如何，最終目標都是追求善與高貴。

書簡1903

204

閱讀的態度

這世上沒有最好的書，也沒有哪個權威人士可以決定哪一本是最好的書，最好的書取決於自己的喜好，而且是經過比較之後，決定出來的。當書櫃擺上自己覺得最好的書時，這本書就成了你的思想中心。

那麼，該如何閱讀一本書呢？至少要做到以下三點。對書的內容懷有敬意、要有耐性理解、傾聽作者想表達什麼的謙虛態度，這才是閱讀的態度。

〈閱讀與關於書的一切〉

205

你閱讀過的書，一定會帶給你力量

無論是閱讀什麼書，就算古今東西，一冊不漏地閱讀，也不可能因此變得幸福。

但是你閱讀過的書，一定會帶給你力量。

當你迷惘、徬徨時，書籍悄悄地帶給你找回自己的力量。

詩〈書籍〉

206

閱讀在精，不在多

有些人為了蒐集大量的知識與素材，要求自己閱讀得既多且雜，這種心態就像參加派對是為了蒐集名片、擴展人脈，抱著「認識愈多人，就能交到愈多朋友」的心態。

但是交換名片不一定能結為朋友，閱讀也是如此，要是不抱持敬意，便無法深入瞭解彼此。所以無論是對待人還是書，都要真心誠意地對待。

〈世界文學〉

無論是對待人還是書，都要真心誠意的。

207

自由想像就是最佳的讀書技巧

什麼是最佳的讀書技巧？那就是無拘無束地閱讀。

好比讀的是一篇童話，有時能將其視為深奧的哲學書來讀，有時是博大精深的宇宙論，或是彷彿發出誘人香氣的情色文學。這種感覺就像小孩子將床鋪想像成雪山、岩洞、廣闊庭園等，隨時都能愉快嬉戲。

所以想像就是最佳的讀書技巧，讓你視野開闊。

〈關於閱讀〉

208

書籍要自己挑選，才會想閱讀

閱讀和商業一樣，也必須講求效率，追求極致效果。要是只閱讀評論家推薦的書或是暢銷書，效率與效果絕對大打折扣。

你應該順從內心的欲求，或是依循自己的感性，挑選一本真心喜歡的書，好好閱讀，如此才能真正吸收到閱讀的養分。

〈關於書籍〉

209

閱讀不應該是一種義務

被稱為世界名著的書籍，不一定對於每個人來說，都是感動人心的名作，就像有人不欣賞杜斯妥也夫斯基的作品，莎士比亞的作品也不是人人稱道。

人各有所好，只要順從自己的感覺與感性來閱讀就好，如果只是將閱讀視為不得不為的義務，永遠也無法感受閱讀的樂趣。

要是抱持偏見、傲慢、強制、義務、虛榮、利益的心態來閱讀，還不如不讀。

〈世界文學〉

210

別讓歲月帶走你的笑容

老人家啊！別老是批評、抱怨吧！何不呵呵咧嘴，講些無傷大雅的笑話，保持好心情。

也不要總是皺眉苦思，不妨像欣賞畫作般，眺望這個世界吧！最重要的是，別讓歲月帶走你的笑容。

詩〈黃昏的雲〉

211

老人家啊！讓位給年輕人吧

老人家啊！別倚老賣老啦！
就算你沒了氣力，還是可以拄著枴杖起身，讓位給意氣風發的年輕人。
然後毫不畏懼，肅穆地閉上眼。

詩〈春天的話語〉

212

為死亡做準備

當我在庭院焚燒枯葉與小樹枝時，有一位年約八十歲的老婦人經過，向我打招呼，微笑地對我說：

「你在燒東西啊！這麼做很棒呢！因為啊，到我們這樣的歲數，必須逐漸習慣地獄的烈焰啊！」

〈關於老年〉

213

這世上沒有絕對正確的宗教

我認為古今東西，沒有絕對正確，充滿真理，獨一無二的宗教。

並非是各地有各種宗教，而是有某個時代需要吠陀，有某個時代需要佛教，或是有某個時代需要基督教，不是嗎？端看那時代的人們需要什麼，是禁欲？愛？還是平等？

我們的生活也是如此，有時需要休息，有時需要沉潛，或是辛勤工作、開懷玩樂。

書簡1921

214

小心愛國心

對於世人讚賞的美德，千萬不能照單全收，好比愛國心便是需要深思的一種。

在戰場上殺敵無數的士兵被尊為英雄、授勳賜賞，被稱為真正的愛國者。

反觀從未上戰場殺敵，辛勤耕作、默默守護家園的農民卻沒被稱為愛國者？

〈任性〉

215

革命與戰爭，骨子裡並無二致

革命與戰爭聽起來是兩碼子事，其實骨子裡並無二致。只是要不同的手段，達到延續政治勢力的目的罷了。

〈任性〉

216

選擇漠視，就是一種扼殺

殺人犯橫行於世。

譬如，讓有才華的年輕人從事不適合他們的工作，就是殺人。或是因為嫌麻煩，選擇視而不見也是殺人。還有冷眼旁觀不合理的法條、制度通過，不也是殺人嗎？

為了守護自己的生活，選擇冷酷、蔑視、漠視這世間的結果，就是無論是誰都有可能殺人。不是以不屑、懷疑的態度面對不安的年輕人，就是扼殺年輕人的未來，這也和殺人無異。

〈戒殺〉

217

就算蒐集政治家說過的所有話，也比不上詩人的一行詩

因為有點事情，我必須整理書房裡的部分藏書，決定哪些是不需要、沒有重讀的價值、扔了也不可惜的書。

於是，我決定扔了政治家的回憶錄與日記，因為我再也無法贊同政治家的每一句話，他們所寫的那些自稱智慧的內容，毫無價值與美感可言。就算蒐集政治家說過的所有話，也比不上詩人荷爾德林的一行詩來得珍貴。

〈整理藏書〉

218

有口無心的態度，就是傲慢

你們別總是誇口要讓這世界變得更好。

這世界可不是你們這些政客的玩具，你們自以為是地判斷這世界是好是壞，這就是傲慢。

有很多笨蛋想讓孩子和年輕人過得更好，你們口中的好壞又是憑什麼來的？

強行將他們限制在世間的框架，這樣真的好嗎？年輕人亟欲跳脫框架，尋找新方向並非壞事，所以你們這些笨蛋別再嚷嚷什麼求新求變啦！

〈查拉圖斯特拉再來時〉

219

融入社會這字眼，根本是個緊箍咒

融入社會真的有那麼重要嗎？比起個人，難道共同體更重要嗎？個人的義務，遠遠不及應盡的社會義務嗎？

在宗教力量逐漸淡化的現今，什麼融入社會，共同體之類的概念、字眼已經取代宗教，成了崇高象徵。

書簡1932

220

這世界映照出你的想法

我想聽聽你那正直坦率的想法，你現在打從心底覺得這世界繽紛又美麗吧？

如果你是這麼想的話，表示你真的忠於自己，而且真能讓這世界變得更豐富、更幸福。

如果你覺得這世界醜陋、污穢，充斥著不公平與虛偽，表示你一心利己，活在謊言中，而且膽小怯弱，滿腦子想著賺更多錢，怎麼說呢？因為從以前到現在，就是這種人一臉認真地說要改變這世界。

〈查拉圖斯特拉再來時〉

221

面對無聊的事，一笑置之吧

這世間有太多叫人義憤填膺的事，不是醜惡到令人膽寒，就是窮極無聊、卑劣至極，所以批評、輕蔑這些事，只會讓自己更不快樂。

雖然不得不承認這些事也是構成這世間的一部分，但絕對沒必要隨之起舞，畢竟再怎麼清澈的溪流也會有混濁的時候，不如一笑置之吧！

〈寫給凡夫俗子的信〉

222

時間與寂靜的重要性，凌駕一切

所有繁榮、和平、成長、美麗的呈現，都必須經過一段時間。除了時間之外，還有一項不可或缺的東西，那就是寂靜。

日記1921

VII

不受時間支配的幸福

223

你隨時隨地，都能讓自己幸福

你幸福嗎？

因為擁有的太少，覺得不幸福嗎？因為失去的太多，覺得不幸福嗎？或是把不幸福的原因歸咎於大環境惡劣？

這想法大錯特錯，其實你無論身在何處、變得如何，都能讓自己幸福。

因為幸福不是來自外在的物質、條件與環境，而是端看你自己怎麼想，如何感受。

書簡1901

224

主動釋愛，才能得到真正的幸福

遵守社會常規，克己守禮，無法得到幸福。

有錢、有地、坐擁豪宅與名畫，縱使擁有再多，也無法得到幸福。

那麼，什麼樣的人能得到幸福？

那就是懂得付出愛、不吝讚美的人。心中有愛，主動釋愛的人，才能得到真正的幸福。

〈摘自馬丁的日記〉

225

幸福只能用靈魂感受

這世上有各式各樣判斷事物的基準，有各種知識、疑惑與企圖。

希望你能想想你的靈魂中，是否存在著這些東西，衷心期望不會埋有混濁不堪之物。

你的靈魂中，是否只有一股坦率、透徹的衝動，執有不變的情感，以及投向未來的眼光？

你是用哪裡感受到幸福？應該是用靈魂感受吧。不，應該說只有靈魂才能感受到幸福，不是嗎？

〈關於靈魂〉

時間無法支配幸福

當我想起幸福這字眼，就不由得憶起自己的年少時代。

為什麼是年少時代呢？

因為只有不受時間支配，不受恐懼與希望擺布時，才能感受到幸福，

也只有我們的年少時代能滿足上述條件。

〈幸福〉

227

雲是幸福的代名詞

浮於天際的雲朵，閃耀著幸福光芒。

《鄉愁》

228

當你乞求幸福時，就無法幸福

總是在問自己幸不幸福的人，根本得不到幸福，即便得到一切自己想要的東西也不會幸福。

總是惋惜、留戀過往的人，也得不到幸福，因為心中有欲望，便永遠感受不到真正的幸福。

唯有拋卻欲望與執念，不再在意幸福這字眼，才能清楚看到事物的緣起，自然的道理。

你的靈魂才能開始感受到真正的幸福與無盡的安穩。

詩〈幸福〉

229

幸福不是頭腦決定的，而是你的靈魂

縱使得到讓別人欽羨不已的成功，內心還是很空虛，感受不到幸福，
這是因為你沒有走在自己的靈魂想要追求的路途。
決定你是否幸福的不是你的腦子，而是你的靈魂。

〈關於靈魂〉

230

幸福要靠自己創造

或許在世人眼中，無償繼承別人財產的人，非常幸福，但真是如此嗎？幸福要靠自己創造，才能感受到真正的幸福。

愛情亦然，年輕戀人之所以遭遇任何挫折都不以為苦，是因為他們不覺得這些挫折與打擊是一場悲劇。

《鄉愁》

參考文獻

赫曼・赫塞《鄉愁》高橋健二／翻譯 新潮文庫

赫曼・赫塞《幸福論》高橋健二／翻譯 新潮文庫

赫曼・赫塞《乾草之月》高橋健二／翻譯 人文書院

赫曼・赫塞《玻璃珠遊戲》高橋健二／翻譯 復刊.com

赫曼・赫塞《赫塞詩集》高橋健二／翻譯 新潮文庫

赫曼・赫塞《老年的價值》岡田朝雄／翻譯 朝日出版社

赫曼・赫塞《主動釋愛的人，是幸福的》岡田朝雄／翻譯 草思社

赫曼・赫塞《赫塞的讀書方法》岡田朝雄／翻譯 草思社文庫

赫曼・赫塞《雲》倉田勇治／翻譯 朝日出版社

《赫曼・赫塞 老年的價值》岡田朝雄／翻譯 朝日出版社

《赫曼・赫塞全集》日本赫曼・赫塞之友會・研究會編譯 臨川書店

《赫曼・赫塞 散文全集》日本赫曼・赫塞之友會・研究會編譯 臨川書店

《筑摩世界文學大系62 赫塞》登張正實他／翻譯 筑摩書房

《赫塞的話》前田敬作・岩橋保／編譯 彌生書房

Hermann Hesse Peter Camenzind Suhrkamp

Hermann Hesse Demian Suhrkamp

Hermann Hesse Wolken insel taschenbuch

Hermann Hesse Briefe an Freunde insel taschenbuch

Hermann Hesse Wer lieben kann, ist glucklich insel taschenbuch

Hermann Hesse Verliebt in die verrueckte Welt insel taschenbuch

Hermann Hesse Die Antwort bist du selbst insel taschenbuch

Hermann Hesse Narzib und Goldmund Suhrkamp

Hermann Hesse Stufen des Lebens Inset

Hermann Hesse Kuruzgefasster Lebenslauf Asahi Verlag

Hermann Hesse Krisis Suhrkamp

Hermann Hesse Siddhartha BANTAM BOOKS

Hermann Hesse Ausgewaehlte Briefe Suhrkamp

Neo Reading 15

超譯赫塞

超訳　ヘッセの言葉

作　　者／赫曼・赫塞（Hermann Hesse）
編 譯 者／白取春彥
譯　　者／楊明綺
責任編輯／賴曉玲
版　　權／吳亭儀、翁靜如
行銷業務／莊晏青、王瑜
總 編 輯／徐藍萍
總 經 理／彭之琬
發 行 人／何飛鵬
法律顧問／台英國際商務法律事務所 羅明通律師
出　　版／商周出版
地址：台北市中山區104民生東路二段141號9樓
電話：(02) 2500-7008　傳真：(02)2500-7759
E-mail：bwp.service@cite.com.tw
發　　行／英屬蓋曼群島商家庭傳媒股份有限公司城邦分公司
台北市中山區104民生東路二段141號2樓
書虫客服服務專線：02-2500-7718・02-2500-7719
24小時傳真服務：02-2500-1990・02-2500-1991
服務時間：週一至週五09:30-12:00・13:30-17:00
郵撥帳號：19863813　戶名：書虫股份有限公司
讀者服務信箱：service@readingclub.com.tw
城邦讀書花園：www.cite.com.tw
香港發行所／城邦（香港）出版集團有限公司
香港灣仔駱克道193號東超商業中心1樓
E-mail：hkcite@biznetvigator.com
電話：（852）25086231　傳真：（852）25789337

馬新發行所／城邦(馬新)出版集團
Cité (M) Sdn. Bhd.
41, Jalan Radin Anum, Bandar Baru Sri Petaling,
57000 Kuala Lumpur, Malaysia
電話：（603）9057-8822　傳真：（603）9057-6622
封面設計／張福海
排　　版／極翔企業有限公司
印　　刷／卡樂彩色製版印刷有限公司
總 經 銷／聯合發行股份有限公司
地址／新北市231新店區寶橋路235巷6弄6號2樓
電話：（02）2917-8022
傳真：（02）2911-0053

■2017年01月05日初版　Printed in Taiwan
定價／350元
ISBN 978-986-477-135-6

國家圖書館出版品預行編目(CIP)資料

超譯赫塞 / 赫曼・赫塞（Hermann Hesse）作；
白取春彥編譯；楊明綺譯. -- 初版. -- 臺北市：
商周出版：家庭傳媒城邦分公司發行, 2016.12
　面；　公分
ISBN 978-986-477-135-6 (精裝)
1.赫塞（Hesse, Hermann, 1877-1962）
2.人生哲學
191.9　　　　105019597

超訳　ヘッセの言葉　（白取春彥　編訳）
CHOUYAKU HESSE NO KOTOBA